劉福春・李怡 主編

民國文學珍稀文獻集成

第四輯

新詩舊集影印叢編　第152冊

【黃藥眠卷】

黃花岡上

上海：創造社 1928 年 5 月 10 日初版

黃藥眠 著

桂林底撤退

群力書店 1947 年 10 月出版

黃藥眠 著

花木蘭文化事業有限公司

國家圖書館出版品預行編目資料

黃花岡上／桂林底撤退　黃藥眠　著 -- 初版 -- 新北市：花木蘭文化事業有限公司，2023〔民 112〕

114 面／146 面；19 ×26 公分

（民國文學珍稀文獻集成・第四輯・新詩舊集影印叢編　第 152 冊）

ISBN 978-626-344-144-6（全套：精裝）

831.8　　111021633

ISBN-978-626-344-144-6

民國文學珍稀文獻集成・第四輯・新詩舊集影印叢編（121-160 冊）
第 152 冊

黃花岡上
桂林底撤退

著　者　黃藥眠
主　編　劉福春、李怡
企　劃　四川大學中國詩歌研究院
　　　　四川大學大文學學派
總 編 輯　杜潔祥
副總編輯　楊嘉樂
編輯主任　許郁翎
編　輯　張雅淋、潘玟靜　美術編輯　陳逸婷
出　版　花木蘭文化事業有限公司
發 行 人　高小娟
聯絡地址　235 新北市中和區中安街七二號十三樓
　　　　電話：02-2923-1455 ／傳真：02-2923-1452
網　址　http://www.huamulan.tw 信箱 service@huamulans.com
印　刷　普羅文化出版廣告事業
初　版　2023 年 3 月
定　價　第四輯 121-160 冊（精裝）新台幣 100,000 元　

黃花岡上

黃藥眠 著

黃藥眠（1903～1987），生於廣東梅縣。

創造社（上海）一九二八年五月十日初版。原書三十二開。

黃花岡上

黃花崗上

1928 3 1 付排
1928 5 10 初版
1——2000册

每册實價大洋三角五分

序

這是我三四年前浪漫的歌。

現在浪漫的時代已經過去了，我的歌也死了。

好，過去的東西由牠死了罷，讓我自己來敲我自己的喪鐘！

一九二八，三，二六。

目　次

I. 詩人之夢

〔1〕

II. 山 僧

〔2〕

III. 短歌六首

詩人之夢

詩人之夢

夏夜的清風曲折地躨進了迷人的花徑，
玫瑰花吐着暗香，籠住朦朧的花影，
綠叢裏𤇨窸窣窣地似有絮語的花魂，
池上的紅荷，獨依依地追戀着沉醉的黃昏。
一位清瘦的詩人穿着精緻的花衣醉眠花塢
他醉後的迷離柔夢好似殘春的烟雨模糊；
蟋蟀兒正在石隙裏唱着他飲露的歡歌，
他的詩魂踏着歌聲，曳着夢襟披拂蔦蘿。
花上的露珠，化成了游絲似的輕烟渺渺，
載着他輕羽似的詩魂在風裏飄飄！

他給流風忽吹到一冰雪晶瑩的雲外孤峯，

〔1〕

黃花崗上

他立在懸崖俯看着陂陀的雲氣蓬鬆，
那深邃的長天覆着了寒月的清湛銀流，
他私念着，他可能浮着輕槎在蒼茫的雲海遨遊？
宇宙的精靈已偷偷地彈動了他清冷的心琴，
他撫着琉璃似的層冰，望着雲隙裏的人世微吟。
獨立蒼茫的他，是宇宙的搖籃裏初醒的嬰孩，
不自覺地隨意唱着他讚美的歌曲和諧。
但天上吹來的涼風，一陣陣的蕩着他鮮豔的紅
　　脣，
把美妙的歌聲吹斷，再也沒有一點聲聞！

於是詩人悟了，把人間帶來的珍重詩章，
撕成了一片片的，在宇宙的當中飛放，
他們都化成了月下紛飛的翩躚蝴蝶，——
又再聚攏來凝就了小小的輕舟一葉。

黃　花　崗　上

這心晶凝就的花舟，漸漸地泊近岩下崖邊，
他於是奮袂登舟，啊，別了，這污穢的人間！
他在舟中掛起了霧綃似的風帆在風中婀娜，
山蹊的松魄化成了皤皤的老叟，獨在船上搖舵；
纖細的船身，是紅玉似的象牙雕鏤玲瓏，
他拈着寒冰琢就的長簫，依着船舷輕弄。

嫋嫋的簫聲幻成了微雲，繞着晶瑩的月光，
他揮着銀簫把月兒輕擊，擊成了清脆的'丁當'！
遙看那淡淡的天河在沉默的長空一帶橫斜，
那熌爍迷濛的星影是河牀裏微漾的流沙？
忽的一箭寒光遙指着下面的雲層飛墮，
唉，是愛神已找着了人世的癡情箭垛？
瑩瑩的露珠一滴滴的落在船上滑溜盤旋，
他拔下了冷冷的銀髮，把他們串成了一顆顆的

〔3〕

珠鬟。

廣寒宮裏的嫦娥若倚着玉欄暗把珠簾高捲，

他將隔着窗兒送給她做相會的禮圈！

他綽約地立在風前，細風吹着衣髮飄蕭，

他的靈心已好似一片青天只是清虛寂寥，

他嫌那帶來的花衣骯髒，不及無衣，

脫下了，把他遙擲，化成了清癯的白鶴翩飛；

鶴兒撥動了他的雙翅漸漸的溶入在冥漠的空濛，

他目送着，願他能賚着一些消息去直入珠宮！

小小的牙船在銀氣裏順着東風慢慢飛航，

直飛入到超出玄思的虛無縹渺的仙鄉！

贈東堤的歌者

細風拂着長堤的春柳，
樓上的美人正梳罷她的春妝，
水邊的娃子打着輕漿迎人，
我攀着穉柳的纖枝，帶着春愁悵悵！

海上的重雲，露出了新月如眉，
瀲灩的春潮，時在堤前低語，
那水上的樓台隱約着一些紅袖，
籠住了騷人的孤魄沉迷。

蕩着了輕舸，在熒熒的水上浮游，
海上風來，時雜有笙歌要眇，

〔5〕

黃花崗上

我獨酌着一罇的葡萄美酒，
一段的春愁，豈是春江的烟雨能描？

迷迷離離，閃閃爍爍的星影波光，
薄霧輕籠，時有紅燈隨着波光流浪，
咿啞，咿啞的櫓聲敲着春魂如夢，
深沁心脾的一陣美女的心香！

呀，小小的輕舟載着月色滿船，
一點的紅燈照着了美人的衣影，
她斜抱着琵琶輕按船舷，
依約地斜露出髮上的珠光明靚！

江風嫋嫋掀動了她腰下的羅衣，
她的雙頰微紅，似含有幾分醉意，

黃　花　崗　上

纖纖的玉指撥動了琵琶低唱三聲，
唉，好似繞船風雨愁，聽着三峽猿啼。

唉，碧齡的歌者喲，我也是傷心的窮客，
你不要把傷心的哀調輕彈，
你無限的悲哀都暗向指間偷訴，
但豪華的貴客誰會知你命運的兇殘。

唉，惜你這美滿的年華空在風塵拋擲，
脆弱的身軀怎禁得夜深的風露淸寒，
一霎兒都變成了春闌花謝，
酃綠的杯中美酒只剩有珠淚汍瀾！

儛舟的游客正在飲罷高歌，
時雜有肸肸的嬌聲低和，

〔7〕

但是我，我只是呆呆無語，
空對着髫齡的歌女顏酡。

盈盈的舸子又打着輕槳回來，
她無語登舟，一頃間又已隔着盈盈的春水，
我凝望着她水上的紅燈漸遠，漸遠．．．
唉，我又感着人世飄零揮淚！

歌者喲，待到了秋風白露江寒，
我將爲問你的消息，載着寒月重來，
這時，你的琵琶已給淚花彈碎，
我的心情想也早已給秋風吹化成灰！

我　　夢

我夢作羽薄的白雲，
飄流光海無蹤，——
但我終是江波一滴，
向着大海朝宗！

我夢作勁拔的蒼松，
挺着綠刺錐風，——
但我終是鮮花一朵，
浥着朝露惺忪！

我夢作凌空的鵰鳥，
俯瞰人寰渺小——

〔9〕

但我終是杜鵑一隻，
躲在花陰哀號！

啊，江水挾着泥濘
滾滾地去了，
鮮花隨着春光
紛紛地落了，
我只得挾着血絲哀唱，
把柔弱的歌聲，
埋沒了自己的悲傷！

尼　　庵

(爲棄婦作)

冷悄悄夜靜山深，
一座尼庵，鐘梵聲沉，
在山影陰沉下
掩着重門山影陰陰。

一個毛髮蓬鬆的婦人，
探首窗前眼淚盈眶，
岑寂無聲的虛谷，
那知他心裏的凄惶！

輕輕的夜雲流過了

〔11〕

黃花崗上

天河，風吹葉落紛紛，
呀的一聲庵門開了，
她私私地向着谷底狂奔。

黃葉在暗中窸窣，
遠遠地似聞有犬吠聲聲，
山下的深潭莊嚴恬靜，
黝鏡裏，照着星斗清澄！

砰訇，潭裏的星光浮亂
黑影兒在潭裏浮沉，
鏜鞳鏜鞳的一陣水聲過了，——
只剩有零落的蛩吟！

海之歌舞

海啊，
我最愛你的酡顏，
披着雲衣璀燦，
天風飄蕩，
霞裾輕揚，
舞袖揮張，——
我也想化成頑石，
但我感着你的神光煥閃，
又不覺要隨風起舞，
跳躍翺翔！

海啊，

〔13〕

黃 花 崗 上

我最愛你唱的情腔，
似奏九天之神曲，
澎湃鏗鏘，
音波漾蕩，
心魂靈響，——
我也想化成頑石，
但當我聽到你的玄音宛轉，
又不覺要引吭高呼，
嘔歌酬唱！

花　　朵

摘下了一朵桃花，
放在碧油油的水面，
流去呀，流去，
流去到我愛的門前！

我愛的家，
不過是水程十里，
茅簷下——
有低亞的紅梨。

她在門前
正滌着她枕上的輕羅，

〔15〕

黃花崗上

昨夜的殘餘夢影，

都化成清淺的流波。

我的花若流到她的裙邊，

她定會掇在胸前，

但她若知道我的相思深意，

她不會赧然的把牠丟在籬邊？

春　心

淺絳的鵝絨

　浮漾着井井的羅紋，

靡靡的，似醉，微醒，

　輕輭的南風

挾着幽香，琴韻

　吹入了靈魂！

似紗的颷颺，

似水的溶溶，

是水上的浮雲

　惝怳——迷濛——

綠衣人的鬢影。

　醒——鬢影——

〔17〕

依稀，依稀，
　魂歸——
寶枕斜欹，
　流沫——
尋思，尋思，
綠色的燈紗，鬢影！

東山晚步

淡淡的紅霞天末，
四圍的山色朦朧，
我偕着幼齡童子，
散步在浩漫的平隴。

涼颸徐徐地拂着襟袖，
南國的深秋未寒，
隴上葱青的草色，
微含有野露汍瀾！

一望的大麥深黃，
田壠裏來往着農人三兩，

黃花崗上

從前面林叢裏，
跑出了一隊牛羊。

孩子對着羊兒拍手，
指着歸飛的烏鵲高呼，
幾句天眞趣語，
使我的心意歡娛。

教堂裏晚禱的鐘聲
忽打破了將冥的岑寂；
我也效着歸鳥投林，
向着我的故巢求宿。

途中遇着了幾個垂髻的女郎，
嚶嚶地唱着異國的歌聲，

黃　花　崗　上

忽同我摩肩行過，
香風駘蕩了心情！

我在歸途摘下了一叢黃菊，
她的胆瓶堪養秋魂？
踏着一徑的蘚痕歸去，
朦朧的月色已照滿前村！

作於東山之寺貝通津

酒家夜飲

霏霏的寒雨正灑着璀燦的華城，
我背着人們行上了冷淸淸的街道，
在暗中敲着了酒店的蓬門，
門隙裏的爐火正炙着美酒，延燒。

啊，三年前的光景還是依稀，
笑面迎人的少婦又獻着美酒微溫，
啊，繡戶珠簾裏儘是珍饈羅列，
但那裏及得這裏的悽惻銷魂！

昏暗的油燈正冒着黑烟吐燄，
架上的罌轟隱約地露出金光，

黃　花　崗　上

碧油油苔綠染上了猥藉的銅壺，
壁上簷間更掛着絲絲的蛛網。
啊，我恍惚已來到了大行山下，
她們都是前朝劍俠，將來斫盡猖狂？

但那肥胖的婦人正依着前檯瞌睡，
那玲瓏的少婦也偎着爐火偸閑，
我手支着頭顱已停杯醉了，
萬斗的愁懷也只是深隱難言！

啊，那巷中的寒鐸已報我更深，
我帶着迷朦的醉眼仍是昏沉，
待到踉踉蹌蹌地走出門來，
唉，凜冽的風寒，直凍裂了我的憂心。

【23】

白　　馬

‘我的祖宗本是帝座前面的騣騵，
馱着豐隆，雪白的銀蹄亂攪層雲。
我的爺娘也是翰海逍遙的健馬，
電掣風馳飄忽在萬里長城堞下。
但這可憐的我，爲什麼被人們欺哄，
受盡了豪奴的鞭撻，墮盡了祖父的威風！
幽靜的長楸雖說有珠欄玉閘，
但那裏及得圓蒼四壓的穹廬？
明淨的高厩雖說有廝馬相隨，
但那裏及得懸崖孤立的無儔？
細膩的青芻及不上凋零的衰草，
清冷的玉槽及不上汚泥的池沼！

黄　花　崗　上

哦，我愛那清淨荒涼的無人之鄉，
我那裏晶瑩的冰雪方鋪滿了我的沙牀！
我不願把我高潔的靈魂在這裏斲喪，
那快樂之魔方在暗中撒着沉迷之網。
哦，你看階前正是風雪霏霏，
我何不乘着這個時機歸去！'

啊，西方的殘月倘鈎着濃雲萬重，
蒼茫的大地方疊着射眼的層銀，
白馬的銀蹄飄忽在琉璃的大空無跡，
崚嶒的瘦骨要摧折了銳利的西風。
他來到一猛插雲層的壁立的山巔，
回看那燗爍的燈光正散佈人寰；
寒光煮着冷氣密密地迷濛山野，
人們方在帳幃裏春夢纏綿！

黃花崗上

老松擎着青白玲瓏的光蓋，
漏下娟娟的月影照在白馬的珠衣，
在沉默而冷靜的空氣裏，
遠遠地似浮着喔喔的雞啼！
啊，他從此要與狡獪的人們告別，
他從此要與污穢的塵寰斷絕！
他冒着寒氣只是一個長吁，
趦趄的馬蹄直跑向北方歸去！

浩蕩蕩的萬里流沙起伏，
昏昏沉沉的一輪落日西頹，
殘霞噴着血花要把寒沙染赤，
狂風挾着霜刀要把長城摧折。
這時白馬臥在沙丘奄奄一息，
只是仰首向着天神要求速死！

黃　花　崗　上

他已舐盡了草上的千年戰血，
他已咬盡了地底留存的碎鐵，
長城南面自有無量的碧草清泉，
但那裏終是汚穢的人間！
他瞑着目兒只是向着上天求死，
狂風捲着沙柱飛起；
他臨終還睜着怪眼斜兒，
淒涼的明月正從殘壘初窺！

〔27〕

一　夕

我手牽着她的羅襦，
拋棄了一切難忘的悵惘，
我願卽時死在她的懷裏，
給她的鮮豔的紅綾埋葬！

她還拈着羅帶含羞，
低着了羞顏腆腼，
"啊，願同你結就了一個'同心
當着這二月的烟花撦剪"！

春風吹入了羅幃，
簾前的淸月傾西，

[28]

黃　花　崗　上

我持着金杯歡飲，
莫辜負春夢迷離！

晚　　風

（呈 Miss L. 之靈）

晚風，
激着了縹渺的寒波，
白沫，
抱着了淒涼的故國，
我送你
在一個春花明媚的江頭，
我哭你
在一個冷落無人的荒陌！
空望着往還江海的輪舟，
但海上的騷魂何時歸得！

黃　花　崗　上

昨夜，

子規兒在我的枕畔淒啼，

牠說，

是海鷗在花叢傳語，

在夜雲明滅的淸宵，

你抱着白色的薔薇入水！

啊，你的身軀

已給無垠的巨浪湮沉，

但你的靈魂——

將乘着海雲飛去！

我躑躅在你的門前，

你的門前

已生着萋萋的春草；

那嬌小的黃鶯

〔31〕

黃 花 崗 上

依舊在柳陰哀叫。
啊，你的生命也好似春花
夜半風來
暗把你的殘英吹掉！
那斑斑的紅點
是我的愁苗。

是春宵的午夜
碧欄護着清窗，
你背着紅燈，
暗把銀箏輕弄。
直弄至門外鷄啼，
我同你在欄前相依，
碧桃下
看圓圓的媚月傾西！

黃　花　崗　上

啊，這都似霎時的美夢，
我猶在懷疑！

當我和你在桅前相別，
你猶說
待到了暮春三月，
你將偕着情侶來歸，
我望着海天遙遠，
也願你休誤歸期！
唉，那知道——
他的輕情如絮，
你竟沒入了滄波
永沒歸期！

啊，晚風，

〔33〕

黃 花 崗 上

激着了縹渺的寒波，

白沫，

抱着了淒涼的故國！

我送你

在一個春花明媚的江頭，

我哭你

在好一個冷落無人的荒陌！

空望着往還江海的輪舟，

但，海上的騷魂呀，何時歸得！

歸　　人

湖上下着微微的春雨，
瀰漫的輕寒浸着春宵，
寂寞的孤城，城外，
雨聲敲着春潮。

絲絲的垂柳拂着長堤，
酩酊的孤客顛擺南歸，
他手攜着黯淡的寒燈一盞，
荷着春寒醉眼迷離。

他口裏還依約地正在哀歌，
他的一生都長自蹉跎，

〔35〕

黃 花 崗 上

他已把一切的榮名丟了，
只躭愛那映着美酒的顏酡。

湖濱的犬吠清寥，
他的寒燈隱入長堤漸杳，
隱隱的湖上的紅燈妓院，
夜闌人倦，猶輕撥着殘絃！・・・

隔　絕

渺渺的凌雲雙鶴，
漠漠的江海遐飛，
將飛入九霄深處，
化成星影迷離？
將飛入水宮珠闕，
化成鯉魴容與？
默默的風波恬靜，
沉沉的天宇無雲，
爲甚這一雙飛鶴，
又在空際離羣？
哀哀的獨鶴聲寒，
孤飛在天際無歡，

黃花崗上

我對着這伶仃的孤鶴，
又不覺五內情傷。
自從和你絕後，
不斷的愁緒如環，
對着新書，飄泊，
對着朋儕，落寞，
忽的向天狂笑，
忽的拊掌高歌，
但歌笑永無迴響，
怎奈他陶鬱的愁何！
殘春的暮雨如絲，
我踽踽東郊欲哭，
清夜的月明如鏡，
我手撫着垂楊悵觸；
寂寂的空房枯守，

黃　花　崗　上

愁聽着笙管聲哀，
鰥鰥地床幃愁臥，
任憑他更鼓頻催。
悄悄夜深偸起，
仰視那閃爍着的明星
暗落了兩行清淚，
滴上春草無聲！
啊，一載的歡情如夢，
空留着心底傷痕，
心底的傷痕不滅，
雲際的同羣難覓！
我的天性本自孤高，
願奮翮扶搖萬里，
雪白的雙翅穿雲，
孤獨的悲哀誰侶？

〔39〕

黃花崗上

下顧着塵寰擾擾，
都爲着名利驅馳，
浮沉在茫茫的苦海，
蠢蠢地沉夢如癡。
我只忍着傷心愁絕，
寧永在天漢迴遲！
唉，我永在天心飄泊，
這化石的心情何托，
願衝破這無限的雲罾
任憑他天罡吹冰！

枕　　上

月色迷離的枕上，
殘留着夢影依稀，
我暗摸沙巾蒙枕，
願將好夢兒在巾底深閨。

枕上有美人的鬢影，
綰住我無賴的詩魂；
枕上有美人的蘭氣，
薰透我沉迷的夢痕。

門外的晨鷄高唱，
窗上的晨曦露出微光，

[41]

我暗揭紗巾尋夢，

啊，好夢兒已在枕上消亡。

春　　宵

更殘，
月靜，
魂在欄干，
遙望想：
她的姿容，
是在白雲縹渺中。

尚餘夢影
——憧憧，
起看月白
——濛濛，
遠處紅燈一點，

〔43〕

有我的魂夢游蹤？

日暮登高崗

拾着歪斜的石徑步上高崗，
兀立山頭獨聽着松濤聲響，
瑟瑟的秋風吹着我單薄的秋衣，
默然無語，愁對着悽婉的斜陽。

迢遞的青山送着秋雁南飛，
遠徑如腸將去到天涯何處？
平野荒蕪遶着江水縈迴，
明滅的寒波正托着無人的孤渡。

山村裏浮上了迷漫的烟塵，
唉，這不是人世的憂憤，悲愁的象徵？

〔45〕

黃花崗上

地闊天高，聽不見一些人語，
縱橫的眼淚又不知哭向誰陳！

啊啊，無限的世情都隨着殘陽滅了，
山月的流光暗向松林微照，
我踽踽涼涼地踏着月影歸來，
啊，山澗鳴寒，更催着人們速老！

海上的黃昏

沙灘上繫着了一隻漁舟，
海波吻着了將沉的落照，
淡淡的夕風暗把海雲輕弄，
我吹着口琴咿呀誰儔？

我醉拍着船欄翹首雲天，
看海上的千里暮雲重疊，
呀，我若能效那海上的沙鷗自在，
我寧捨棄了這羈絆的人間！

夕陽餘下了沉醉的餘霞，
反映着松下將暝的村落，

〔47〕

黃花崗上

隱隱的天末的風帆數片，

似在載着鮫人的珠淚還家。

黃花崗的秋風暮雨

蕭瑟的秋風吹着寒襟透骨，
細雨連綿地，荒野多寒，
晻靄的凝雲戀着愁暉將暮，
我獨在黃花崗畔蹣跚！

層疊的墓碑在崗上巍峨，
碑上的神人持着明星高舉，
好似在朦朧的暮雨當中，
向着沉醉的人們高呼速起！

巨砲兒高豎在墓道門前，
口含着猙獰的骷髏欷歔，

〔49〕

黃 花 崗 上

他是暗示我去幻求眞的道路？
邪，妄，貪，求，的人生終是空虛！

寂歷的黃花夾着細雨飄零，
守墓的園丁深鎖園門何去？
我折取了帶淚的鮮花一朵，
撫着碑垣涕濕沮洳！

你們都是氣冲牛斗的英雄，
獨立蒼茫能驅馳天馬行空，
手挺着凜冽的寒刀吐影，
滿腔熱血將呵成天外長虹！

莽莽的神州豈容他狐兔縱橫？
願捐棄了這熱血的頭顱爲國，

黃　花　崗　上

天上的威靈忽驅狂飈吹旗，
奮臂高呼，願殺盡這胡兒殘賊。

漫漫長夜方佈着黑影千重，
囚籠裏的人們正在氣息奄奄，
你的精神好似雄雷霹靂，
衝破了陰霾，射出千尋光燄。

可憐你空抱着囘天的壯志雄圖，
終敵不住他暴虐殘狠的勢力，
殷紅的血泊挾着碎肉模糊，
斷骨殘尸，橫臥在街頭狼藉！

月黑星逃的夜半東郊，
一位零人收你到荒土偷埋，

〔51〕

黃花崗上

青燈照着壠上交橫的尸骨，
戰慄着，一點點血淚難揩！

崗下蕭條時有野犬唓唓，
崗上荒蕪都是縱橫的荊棘，
夜深時聞你在隴上高呼，
月落寒江猶聽你們歎息。

但殘暴的威權終給你的英風吹倒，
建築起墓道豐碑也時有人來祭掃，
但當這慘淡的秋風打着碑堵成聲，
又有誰來，獨向你的英靈憑弔？

哦，我抆着淚花欲叩我國魂何在？
寂寂的河山都帶着零雨昏迷，

黃　花　崗　上

那變幻的妖狐依舊東西聲竄，
四千年的華胄將要從此淪胥？

美麗的層城已荒廢成丘，
擾攘如雲都只是鬩牆爭殺，
躺在路旁的許多餓殍流離，
戰馬嘶風，縱着如鐵的圓蹄帶血！

一帶的崗巒都含着淒愴窮愁，
壘壘的荒墳都埋着演人戰骨，
白雲山上的寃魂聚哭啾啾，——
唉，這是誰氏的前驅勁卒？

珠江隱約地在天底踟躕，
依依地戀着刼後的殘灰嗚咽，

〔53〕

黃花崗上

滾滾的江波都是貧民的淚血溶成，
化作寒潮，夜夜在崖門澎汎！

回看那雨烟迷漫的南國名都，
華屋嵯峨藏着有嬌伶妙舞，
沉醉的人們方從被底初醒，
杯酒消寒，又擁着稚姬簫鼓。

啊啊，華族的英魂消沉已久，
渺渺的神州誰能爲國奔仇？
點點的黃花只是年年垂淚，
空伴着這壠中的恨血長留。

唉，磊落英豪的年少男兒，
你寧日在綺靡的歡場銷磨志氣？

黃　花　崗　上

我們終當要破開鐵壁凌空，
佩着明刀在慘淡的沙場相會！

暮烟裏忽鶻起蒼鷹哀號，
啁噠的鳥兒隱在松枝風雨飄搖，
烈烈的狂飈縈繞着雄崗悲嘯，
黑漆漆的夜神已經佔據周遭！

我抑着悲懷匆匆地尋覓歸途，
風雨淒其似猶聽幽魂啜泣，
回看那黑影中的崗上豐碑，
碑上的神人啊，猶是昂頭雄立！

一九二四年作

［55］

無　　題

山間的瘦月照着孤墳，
我偷偷地叩着墓門低問，
"醒了嗎？
已將近黃昏！"

"誰在那裏叩門？
誰在那裏說已將近黃昏？
我已不願復醒，
莫來擾我的靈魂！"

"海上已漲滿了春潮
湖上已生滿春草，

黄　花　崗　上

起來罷，
我願同你去遊遨！"

"我美酒染就的紅唇，
已隨着歌聲歇了！
我湖波滴就的明眸，
已隨着淚花飛了！

塚上已生滿春草，
但我的殘尸再也泛不起春潮！
我已永久不願再醒，
你自去同那些美女遊遨！'

山　僧

山　　僧

淡紅色的山下斜陽，呀，已將近黃昏，
小尼姑持着掃帚掃着滿階花片的庵門，
她午睡醒來，拖着禪鞋輕輕地踱出堂前，
她的羞紅的臉上還印着有枕上的花邊。
她持着拂塵柔柔地拂淨了幽深的佛堂，
在微笑的三寶堂前，點起了清淨的濃香！
但她又依着畫壁沉思好似中酒，
心裏想，我已於今宵答應了他的祈求！
不識事的小尼鏜鏜的敲出了晚課的沉鐘，
她懶懶地打開經卷，念着彌陀終覺懂懂！

'記得是涼秋九月我特去登五指雲峯，

黃花崗上

我和他是在滿山紅葉的斜陽石徑相逢！
他，他是一個面目清癯的前山和尙，
背負着一隻琴囊時在山頭四周張望，
他拖着芒鞋，披着深黑的僧衣，
涼風拂着衣角好似就要從山上昇飛！
待他行到了峯頭，山下已爬上了山月如盤，
他就擺開了他的長琴在雲邊石上輕彈，
足下的閑雲來往，蒼茫的天宇晶瑩，
古均的琴聲敲動了我倆無言默契的心情！

這是我第一次同他在嶺頭雲際相逢，
他那蕭灑出塵的懷抱已深印在我的心中；
薄暮暝暝的林薄，似有虎嘯猿啼，
我去南湖齋罷，又同他在徑邊相値同歸。
殘冬的淸早我獨去長潭的冰畔遊遨，

黃　花　崗　上

我又看見他在崖下的山桔花前睡倒。
這時我偸偸地把他的睡態深覻，
呀，那花下的美僧已使我心頭的熱愛沉迷！
自從種下了那根愛苗，我們中間已好似有割不
　　斷的關聯，
佛啊，我如何能解散這熱情織就的戀愛的花圈！

蒼茫的古月照着了深山峻壁的長藤，
一個山僧向這亘沒人行的山徑攀登；
他爬倦了就依着泉邊挺立的孤松，
松間的月影橢照着他的僧衣露重！
呀，那層巖下面不是我的法師在那裏打坐？
哦，我今夜終要破了清規，壓不住我心頭的烈
　　火！
我要把落花織成了薄薄的紅棉，

黃花崗上

我就坐在紅棉裏給情燄燒化成仙！
呀！遙望那微雲深鎖的寒山蕭寺，
候我的人兒，還是偸倚着花枝未睡！

他輕輕地敲着了枝枝交影的門上門環，
呀，門兒半掩她斜露出輕酡的半面如仙！
她穿着雪白的襯衣散着千縷的蘭香，
深深地沁入他的心脾，緊緊地縛住了胸膛，
呀，花裏的眠虫好夢可曾給這次的門聲驚破，
呀，隱示精深幽邃的三寶堂前的微明佛火！
西斜的山月彷彿已照着莊嚴的佛像雍容，
微風飄拂，却吹不動多年斑駁的神鐘！
階前沉重的蒼苔輕輕地印着些零落的殘紅，
他倆都立在那裏相視着，好似在迷濛的夢中！

黃　花　崗　上

於是他們都跪在前階拜月喃喃，
說願你的年年清影，都給我們的情愛加添！
你看，那夜夜碧海孤行的深宵月輪，
都要受那飄泊的遊雲的抱吻輪菌，
我倆的心兒匪石，我們的生命都似流泉，
願把年年的春色都流到平蕪綠野的人間，
裊裊的蔦蘿聽見他們的誓語，搖曳，
把牠的柔條輕輕地拂着他倆的蛾眉，
於是他們起立，丟下了花下的蒲團，
春宵一刻他們將在雞啼聲裏尋歡！

〔63〕

歸　去

丟棄了平生的親戚，
告辭了相歡的女郎，
我此去，要去到青山深處，
偕着山頭的樵女襄羊！

莫吹動你的銀管，
休彈動你的雲箏，
我要去，去到青山深處，
聽着山間的流水，雲層！

碎却了鏤玉的金杯，
離棄了華堂的綺筵，

黃　花　崗　上

我要去，去到青山高處，

青山高處，望一望人間！

蕉山之夜歸

陰陰的松徑，山腰，
彎彎的月兒自松間流照；
虛寂的空山月夜，
枝頭的山鳥忘啼。

山下都濛住了寒雲，
我們還看那裏是蕉子山村，
嶺上的寶林山寺，
石欄低掩重門。

我們踽踽的行，咿咿唔唔的唱，
石欄橋下，淙淙的山泉輕響；

黃　花　崗　上

轉過了陰翳的茅亭，
下望着，紆徐的溪水流明。

我踏着傾斜的石徑回來，
山中的寒露，已濕透了秋衣，
村裏的人家都已經睡了，
紫藤花影靜鎖着柴扉。

病後遊西原作

秋風蕭瑟的山裏黃昏，
獨留着瘦狗守着閒門，
我負着花鋤慢慢的行到西原荒野，
又看那落日無言向着寒烟西下。

起起伏伏的都是古代的墳塋，
一叢叢的更有刺眼的荆榛；
哦，我要擇下了一塊空餘的去處，
趁着生前，掘就我自身的墳墓！

啊，掘，我早巳掘成了我自身的丘塚，
我茫茫的也幷沒覺得有什麽悲痛；

黃 花 崗 上

如果死時落葉會來掩蔽我的殘尸，
我也就這樣無聲無息地，與世長辭。

啊，孤獨的人只合葬在荒郊！
啊，孤獨的人只合給老鴉憑弔！
啊，我的心懷早已枯化成灰，
西風吹着暮雨，又何須催我歸來！

登松口塔

啊，你那崖上的崚峥孤塔，
又見你背負着凄惋的斜陽，
飄泊的我，已許久不曾見你，
可喜呀，你仍在江頭無恙。

我這次要爲你捨棄了輕舟，
爬上岸上去一瞻你的顏色，
因爲我不久又要浮海南行，
飄泊的征帆又不知要何時歸得！

虎立雄瞰的石壁危崖，
下遶着急湍迴波的長河萬里；

黃　花　崗　上

這傲岸蒼茫的孤塔就在崖上高標，
哦，不識是何代的前人造起。

塔尖上停着有幾個飛鴉，
壞塔欄邊更生着茸茸的敗草，
呀，待我行上到那壞塔危欄，
看我這久別的故鄉，映入暮霞殘照。

唉，久別的故鄉仍遮滿着幾重烟霧，
如黛的青山含着縹渺的斜陽萬古，
爲問那往日的相知仍在？
故人的園宅抑已幾遭兵燹荒蕪！

再極目到蜿蜒天末的長河，
無數的征帆泛着浩渺的寒波，

黃花崗上

帆底的征人大都是歸心如箭，
又誰知道夕陽塔上另有孤客婆娑？

唉，我本是無家的孤客，只愛飄零，
走遍天涯也還是孤單無偶；
我直要待到周遭的夜氣溟濛，
獨看這涼夜風寒，拂着月明時候。

這時，我手撫着曲折的危欄，塔瘦人寒，
浩漫的天風擊着高騫的蒼鷹長唳，
唉，美滿的年華已所賸無多，
偸偸地拭着冷落無情的淸淚！

但，塔下的舟人又頻來招手言行，
啊，塔！我再也不能在你的心懷長住；

他日，我若眞能夠遊倦來歸，
我將再和你在這暮烟江畔相晤！

我匆匆地循着石階徐下，
回望這孤崚的高塔，風兒已吹動輕船，
呀，塔，你那孤獨的情懷也耐得幾番風雨？
莫我再來時，再也尋不見一些碎瓦遺磚！

夕陽橋畔

絲絲的楊柳拂着了橋欄，
水上的春紅，斜睞着翩翻的飛燕，
我和她牽着柳絲相送，
低聲說，'你要早點來還！'

淡淡的水上的無賴斜陽，
又偸寫着橋上的並肩的我倆，
我摘給她橋畔的鮮花一朶，
輕問着，'那兒是你的樓房？'

她遙指着那遠遠的杏花千點
掩映着玲瓏的綠瓦紅樓，

黃　花　崗　上

樓外的炊烟正迴環裊裊，
裝成了前山的眉黛深愁！

她冉冉地延着蜿蜒的曲徑，
漸漸地行入了春烟迷漫的前村；
但我却攀着柳枝好似失魂似的，——
柳邊的新月蒙住了微雲！

〔75〕

簷前

烈日炎炎的茅屋簷前，
睡着了一個毛髮蓬蓬的老者；
他穿着襤褸的衣裳，穿着芒鞋，
微藍的眼角忽又涔涔淚下！

你爲什麼離開了你的家人兒女，
孤孤單單的來到這個窮鄉？
唉，你爲的豈是什麼家，國？
爲的只是要滿足你這轆轆的飢腸！

你的和樂的家鄉豈是被潰兵燒燬？
你的兒孫都已四散奔逃，

黃　花　崗　上

稠密的鄉村頓已化成灰燼，
只有你這位老者流離異地嗷嗷！

抑是你的兒孫都已給軍人拉去，
隨軍遠去他們都已作爲行役的挑夫，
又聞說他們都已在軍前慘死，
特來此鄉間探問有無！

抑是你們的鄉井有旱魃爲災，
曬枯了你辛苦經營的田中禾黍，
你很遠很遠的往訪親人求助，
不料竟病倒在這迢遞的長途！

我很想行前去問他一個來由，
但他已向着壁間沉沉睡下，

〔77〕

簷前的烈日儘是驕傲如焚，

唉，又誰憐你這飄泊顛連的老者！

春　晨

梧桐的綠影蔭着淸窗，
　窗裏的詩人擁着了輕輭的紅綾，
他依着枕兒戀着糢糊的春夢，
　抓着靑絲般的頭髮，兀自凝情！

斜立的熒熒淚燭也早已乾凝，
　簾外的海棠花影印上了輕紗幃幌，
幃下映着狼藉滿案的斷篇殘稿，
　塗鴉着斑斑的淚跡千行！

他昨夜凝思到午夜雞啼，
　但無奈他萬種的情懷難寫，

[79]

黃花崗上

搔首起來步出閒階，

看萬里無雲皓月的銀光流瀉！

他伏在案頭就墮入朦朧的夢中，

夢見一位女郎唱着嬌媚的清詞，

她彈着銀箏又把明眸暗睞，

她說，'你能替我做一首美麗的新詩？…'

梧桐的綠影蔭着清窗，

窗上的黃鸝在花底嬌鳴，

他倚着枕兒暗把詩情凝想，

春風駘蕩，他猶自抱着紅綾。

無　題

我本懷着美滿的青春，
我本是一個癡郎嬌夢如雲。

……………………………
……………………………

啊，但自從那一夜歸來，
我已失去了豐年的潤澤，
只賸下一副枯槁的容顏，
再也尋不見一點青春的顏色！

那一夜是我春情洋溢的深宵，

〔81〕

黃 花 崗 上

樹間的明月照着我難睡的愁人，
於是我赤着足，披着紗衣，
偷偷地行上了紅玉砌的瑤台，
繽紛的花片拂着我的粉頸，
我撥開了花藟向臺下的紅窗偷看。

半捲的帷幔露出了深綠的紗燈，
燈下的美人裸着玉體，橫陳，
她手拿着不知誰著的新詩一卷，
她的胸前更綴着瓶上的殘紅。

我浴着花香，漸漸地看到出神，
最後，我就直挺挺在花底僵眠，
任冷柔的月色舐着我的雙頰，
任淸冷的露水凍着我的靈魂！

黃　花　崗　上

哦，自從那一夜歸來，

我就失去了豐年的潤澤，

只賸下一副枯槁的容顏，

再也尋不見一點青春的顏色！

〔83〕

遁世者的悲哀

淙淙的澗底流泉，
是天女們的環佩丁當？
槭槭的葉底風聲，
是幽神的衣裙綷縩？
怎麼在這冷靜靜的幽谷，
總還有'動'的靈魂！

澄碧的寒潭，
蕩着綠波微皺，
無心的白雲，
獨往來峯頂悠悠？
啊，我這將死的心呀，

〔84〕

那裏去尋我‘死’的朋友！

短歌六首

雜　　詩

一

四圍的山色都穿着了她的春袍，
絲絲的細雨敲着江頭的春草，
爛縵的孩童忽指着灘上的漁舟問我，
小小的漁舟也能禁得起江海的風潮？

二

我依着高高的江邊舊塚，
繪着隔江的村落濛烟，
山外的寒山盡是有無縹渺，
我想那裏定隱有高眠的居士忘年！

〔87〕

三

孩子們都圍着我坐在草地，
落花飄泊，打上了他的肩頭，
但他們都撕着飛花含笑，
無垢的童心是看不見春愁！

四

幾個孩童跑到水邊的亂石磯前，
冒着細雨挖下了幾株稚柳姗姗，
他們說他願背負着綠楊歸去
種在他們的荒蕪的南園！

樓頭春雨

一

天上的仙女舞散瓊花，

花上的露珠滴成絲雨，

絲絲的細雨灑上人間，

塚上的幽魂啊，終難再起！

三

料峭的春寒着體，

摸不着的春光細膩，

燒起了爐香一縷，

又薰透了我一段春愁！

〔89〕

舟　　行

一

青溪上靜眠着一隻漁船，
船頭上掛着了疎疎的漁網，
初出的晨曦，還照着漁翁深睡，
但不知道，他宵來的漁夢如何。

二

如繡的青山鎖住了清江，
峽口的濃雲濛住我的歸程無路，
遙看那濃雲裏露出山尖幾點，
舟人說這是陰那。

三

半滅的漁燈還在江上迷離，

殘夢糢糊，似有鄰舟人語，

小小的輕舟已冒着晨風行去，

願他能載着我的好夢還家！

四

江心裏浮着了孤島迎人，

枯木橫江露出了斜陽的哀意，

爲問那岸上的叢林深草，

也曾泊過了月下的漁舟？

勾 留

一

我素愛這裏的山容美好，
我尤愛聽這裏的樵女的山歌，
匆促的覊人忽來此勾留一夕，
對着這滿江的明月如何！

二

可愛呀，這古廟門前的榕蔭，
我踏着莎莎的黃葉在江上閒行，
那邊十五六歲的姑娘點着燈火，
在那裏擺賣着金色的黃橙。

黃　花　崗　上

三

愁酌着一杯二杯燒酒，
不管他鄰居的兒女聲嘩，
半夜宿醒初解，
彷彿已搖着舟楫還家。

四

月色江流鑲住了門外的漁船，
船上想正睡着那漁孃婀娜，
晚上的紅霞照着她在船頭搖槳，
她那微紅的雙頰是不怕風波。

〔93〕

水國初秋

一

池上印着了花影扶疏，

池波蕩漾着，綯成了一幅漣漪；

啊我願借秋風輕剪，

裁成了天使的羅衣。

二

夏夜的紅荷淚珠

積下了一泓清水；

但清明的瀲灩池波，

只映着她的嬌容將褪！

三

水面上已沒有一點萍痕，

水底下只賸有靑靑的苔影，

金魚兒還在搖尾浮游，

她，不怕秋寒霜冷？

歸　來

疎疎的微雨打着船篷，
雲隙裏獨露出微陽含笑，
多年不見的青山似在江頭嘲我，
爲何你只是飄泊忘還！

船兒慢慢地走到齊州寺的門前，
我的故鄉已在我的眼前浮現，
可愛呀，一帶的暮烟蒼杳，
又誰知今日我會歸來！

桂林底撤退

黃藥眠 著

群力書店一九四七年十月出版。原書三十二開。

桂林底撤退
黃藥眠著

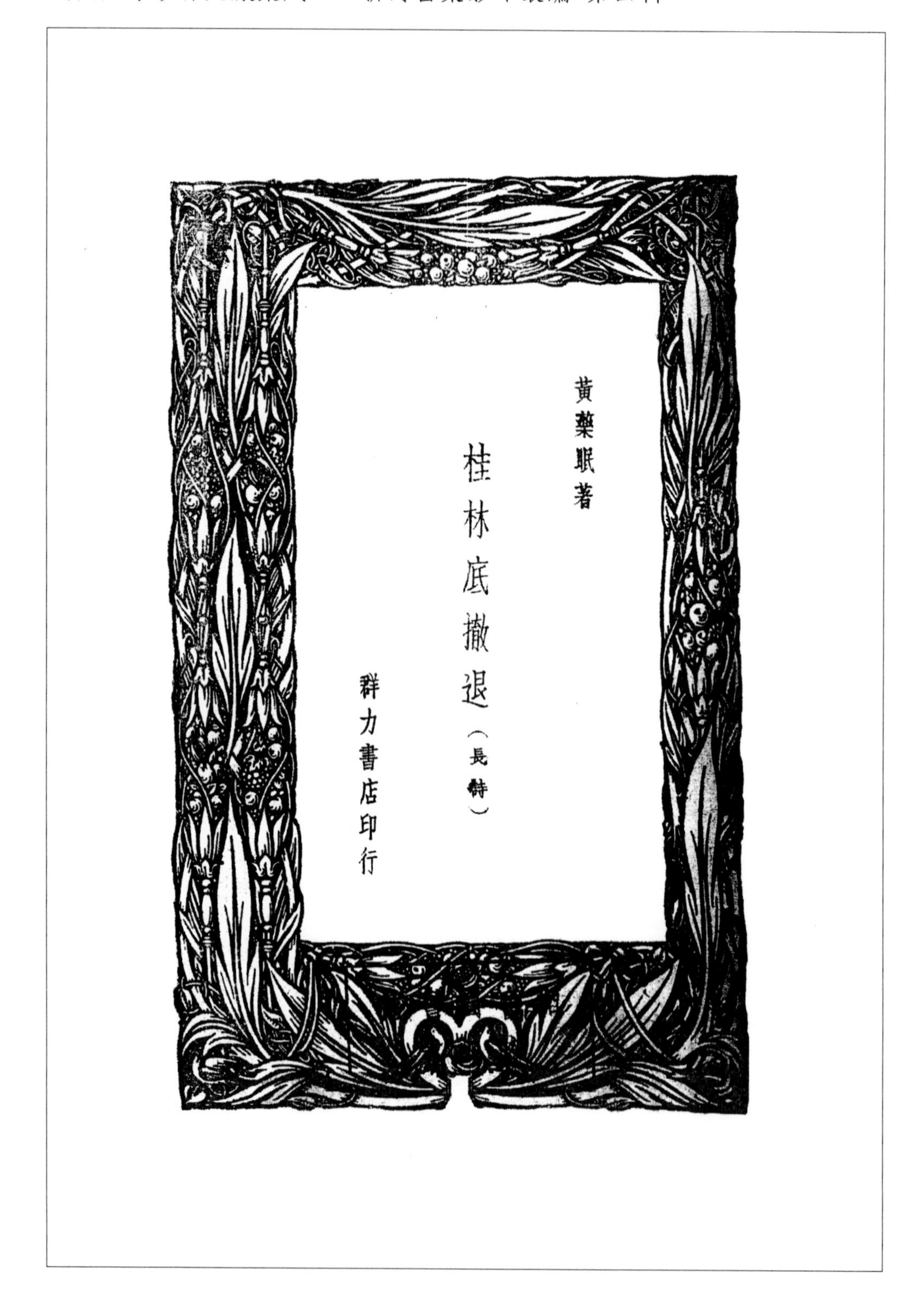
黃藥眠著

桂林底撤退（長詩）

群力書店印行

獻詞

我願意自己
變成一個巨大的豎琴
爲千萬人的悲苦
而抒情！

——作者——

目錄

桂林底撤退

（長詩）

一 桂林——無憂之城

唉，想起來
那好像是不久以前的事情。
那時候，
桂林城是睡在
幸福底輭床上，
而戰爭，
啊，那可怕的戰爭，
却像是
一幅美麗的風景畫，

・2・

掛在遙遠的
洞庭湖的旁邊。

啊，桂林，
那眞是無憂之城啊。
十字街口，
音樂在奏着
商品的舞曲；
廣告畫上，
塗抹着誘人的
少女的乳胸，
大出喪的隊伍，
浩浩蕩蕩的
護送着腐尸，

·3·

進入墳墓；
投機家的夢。
是雲，
鑲着淡紅色的金邊。

桂林，
眞是好繁華哪！
黃金，
在高貴的玻璃橱裏
燦然地笑了，
他瞅着
那貶了值的人，
又瘦又寒酸，
因而更感到

・4・

牠自己的自尊和驕傲！

啊，桂林，
誰還記起戰爭！
大飯店的橱窗裏，
寶玉色的磁盤
盛着紫紅的醃肉，
貴婦們的髮飾，
彩蝶般
隨意地飄，
鬢上的珠光，
在肉湯的蒸汽上
浮動。
誰敢說，

·5·

桂林不是一座
有權威的城！
四方的農民，
都匍伏在牠的脚下，
恭敬地
獻上了自己的貢品。

當夜悄悄地
踏着慢狐步走來的時候，
牠也就
被紅色的霧抱起，
輕輕地浮在空中，
巨大的建築物，
射出微紅的

• 6 •

媚眼，
格外顯得牠的
華貴和尊榮。
可是在這光芒的後面，
黑夜披覆着陰謀，
做着人命的
買賣，
這買賣比古代的魔術
和傳說，
還要可驚！

而且日子久了，
軍官們
因爲被戰爭遺忘，

而感到寂寞起來了，
於是他們，
挺起了
生銹的刺刀，
以最勇敢的姿態
向人民逞起了威風，
他們說，只有用這，
才能夠保持着
『秩序』與安寧。

唉，桂林城，
眼淚底海裏，
浮起了多少
歡欣底泡沫！

呻吟被沉澱在
浮華的下面•
他們說：
牠是永遠無憂的，
永遠繁華的，
永遠幸福的•
誰敢說
敵人還會來進攻呢?——
這一個冒險家的樂園。

二　勝利城的陷落

曾經有一位將軍

·9·

因爲創造了三次奇跡而驕傲。
他指着山
說是勝利山，
他指着城
說是勝利城，
而他自己則是「勝利將軍」。
他斷言敵人不敢再來，
因爲敵人實在懼怕他的威名。

就是在這位將軍
甜睡在粉紅色的懷裏的時候，
敵人在一個夜間
渡過了新牆河，
繳了幾營槍，

•10•

又佔了撈刀河的南岸。
於是將軍大呼『鎮定』！
同時又倉皇撤退，
就在這混亂中
勝利城「情況不明」。

這時候，
桂林開始了耳語，
人們在傳說着
長沙是怎樣棄守：
一個警報把人們
騙出了城，
然後再來一個緊急疏散，
母親回不去看她的孩子，

有錢的
也只剩下一個光身。
於是飢餓的士兵
拋棄了鎗和炮，
拾起那失去了主人的
珍貴的物品，
跟着難民羣
英勇地突出了重圍！

三　難民群的進軍

難民像潮水般湧來。
有些是乘汽車來的，

・12・

有些是爬在車頂上來的，
有些是跑路來的，
每個人的臉色，
都像紙一般黃，
在黃昏的薄光中，
躑躅在
桂林人的屋簷下面。

不管你以前是工廠主，
是百萬富翁，
是工人，是苦力，
不管你是紳士，是地主，
是農民，是佃戶，
不管你是嬌滴滴的

千金小姐，是貴婦，
是女傭，是僕婦，
不管你是學生，
是智識份子，是勞體力的
黃包車夫和報販，
全都一律成爲了難民，
被塞進了古廟裏，
學校裏，招待所裏，
戲院裏，像是一堆
雜柴亂草。
有些人是半裸着上身，
手裏還拿着帽子；
有些人是只穿着一隻鞋，
脚上還套着銀釧；

·14·

有些人頭髮像蝟刺，
有些人則眼睛裏含着
惶恐的餘光。
有些人在路旁叩頭
向路人告地狀；
有些人則退隱在屋角，
閉起了眼睛
沉靜無言。
有些老太婆，
爲懷念她的孩子
而哀呼着上天，
有些婦人
爲思念她的丈夫，
而揩拭着

·15·

緋紅的砂眼。
孩子在母親懷裏
張着飢喝的小唇，
但母親沒有了乳，
只是滴着一連串的淚。
還有那些生病的人，
明知是絕望了，
痛苦地咬着衣襟，
懇求着
誰來結束他的生命。

他們沒有幸福和愉快，
喉嚨是啞的，
舌頭也變得僵硬，

·16·

從他們口裏說出來的，
無非是：某人從火車頂上
跌下來流出了腦漿，
某人跑不動了
被遺失在路上，
某人因失去了身家
而氣憤地投河，
某人在路上遇了土匪，
丟了錢財，又失去了
全家的性命！

這些傷心的話語，
只有傷心的人自己愛聽，
不傷心的人，

·17·

爲什麼要來聽這些話，
惹起了一陣無謂的憂愁！
所以人們嫌惡這些難民，
嫌惡他們擾亂了
桂林的快樂與平安。
——雖然另一方面
爲了面子，又表示着
一點稀薄的同情。

只有到了夜深，
街市的騷音
已經止息，
跳舞會裏的音樂，
也已經無聲，

・18・

桂林週圍的山
在側着頭傾聽，
傾聽那些難民們的
不幸的耳語，
呻吟，歎息，和哭泣……

四　謠言，謠言

耳語漸漸變成了謠言，
謠言從這一個耳朵，
傳到那一個耳朵，
謠言變成了可怕的聲音。

·19·

「衡陽失守啦！」
「敵人的便衣隊已到了全州啦！」
「桂林準備放棄啦！」
謠言從每一個角落傳出，
謠言倉皇地攢進每個人的耳朶，
於是這桂林市的人們
開始驚惶，回想起
長沙撤退的倉皇，
人們在担心着桂林的命運。

可是報紙上的標題是：
「戰局穩定，勝利具有信心」
官員們說：「我們的重兵
正佈置在衡山和湘水之間，

·20·

準備圍殲敵人。」
有人又在高呼着「鎮定！」
也有人預示着「不久反攻
第四次大捷的奇跡就要來臨！」

謠言呢！誰去相信！
可是謠言呢，誰又敢不相信！

當敵人的隊伍已衝進衡陽城郊，
我圍殲的奇兵却還在「鎮定！」
於是那些大呼鎮定的，
已在暗中準備細軟，
那些等候奇跡的，
也早已向銀行裏提款，

·21·

物價像水銀柱般下降，
鈔票在乘着飛機飛走，
安全第一啦，貴人的生命！
小汽車給桂林人留下一陣烟灰
向西方的山國馳去。

可是老百姓却抱着腿發愁，
沒有錢，怎樣去走？
人們想起了從衡陽來的
難民們的相貌，
看看自己週圍的家室，
感到有點驚心！

・22・

五　將軍

正在這時候，
一位將軍從天空裏飛來。
將軍的領上閃着金星，
將軍的長靴發着亮，
將軍的腰間佩着寶刀，
上面鐫着「不是成功就是成仁。」
將軍是國家的柱石，
將軍曾立過了許多戰功，
你瞧，將軍的面孔多麼尊嚴啊！
眼睛是多麼爍爍有神啊！

將軍的步伐是多麼莊重啊！
將軍的說話是多麼雍容啊！
是的，將軍的手指一動，
就是千萬人的生命，
將軍的一句說話，
就是不可動搖的命令！

幾千萬個頸項在伸長着
等候着將軍的到臨，
幾千萬隻耳朶在張開着，
等候着將軍的聲音，
幾千萬隻眼睛想從
將軍的表情裏獲得希望，
幾千萬個心在拍拍地跳着，

・24・

等候着將軍打退强敵的計謀。
大家都這樣相信：
將軍的腦子裏充滿着智慧，
只要他一到來，
一切都可以變得光明。
好容易，將軍眞的來了，
踏着端詳的步伐來了，
大家恭敬地等候着，
一面又帶着希望和不安；
果然，將軍步進客廳招待記者啦。
他從容而又帶着微笑，
莊重地走進了主人的席位，
許多人在耳語着：
「將軍比以前還要胖啦！」

現在，客廳裏可以聽見
一枚針掉落的聲音，
於是他站起來，
開始用那以鷄湯
沐浴過的喉嚨發言。

第一句話他說：
「桂林是不能守了。」
第二句話他說：
「現在的戰爭，
是武器對武器的戰爭，
大砲對大砲，
飛機對飛機，
機槍對機槍，

·26·

我們的武器打不過敵人，
所以我們沒有把握守住桂林。

「你們趕快疏散罷，
但不要慌張，
重要的是秩序，
你們應該抱着
爲國犧牲的精神，
來迎接這一次的災難。」

將軍的話越說越激昂，
聽的人越驚駭，越失望！

將軍於是又安慰人們：
「你瞧，我準備

連我這座房子都燒掉！
我，爲了國家的緣故，
正決意把這整個城都毀掉！
只要你們有救國的決心，
什麼東西不應該拋棄……」

將軍說完，
就一百八十度打個轉身，
將軍的領上閃着金星，
將軍的長靴發着亮，
將軍的腰間佩着刀，
上面鐫着「不是成功就是成仁。」
將軍用安閑的步伐，
踏上流線型的汽車，

將軍的面孔還是那樣莊嚴，
表情還是那樣從容，那樣微笑……

第二天，將軍又坐上飛機飛走了，
連沙發都走入雲層
去作愉快的旅行。

六 疏散

謠言像是蜂，
像是蒼蠅，
像是蝗虫，
像是螞蟻，
在空中亂飛，

在耳朵裏亂嚼，
在我們的心中直鑽。
每個人
都張大眼睛，
豎起耳朵，
聽的是前方消息，
讀的是前方消息，
說的是前方消息，
思索的是前方消息，
再也沒有人關謠了，
謠言和消息締結了婚姻。
從前慢呑呑的紳士，
現在也跨開了快步，
從前穿著斯文的袍子的，

・30・

現在也換上了短裝，
從前是塗脂抹粉的，
現在已露出了蒼白的顏色；
從前是油頭粉面的
現在是鬍子滿腮。
你瞧，那十字路，
往來衝突的人
正像是一鍋沸騰的水，
驚惶的眼睛，
像是沸水上的泡沫。

疏散哪，疏散哪，
緊急疏散哪，
報紙在鼓吹着。

要人們在發表着談話，
無線電在廣播着。
走罷，趕快走罷！
趕快離開這
無秩序的桂林城，
可怕的桂林城，
可咒詛的桂林城，
瘋狂的桂林城，
腐爛的桂林城，
荒淫無恥的桂林城！
許多人想走，
可又走不動；
許多人想哭，
可又流不出眼淚！

•32•

嗚—嗚—嗚—
警報呀！
嗚，嗚，嗚，嗚，
緊急警報呀！
走呀，趕快走！
走不動也得趕快走，
小汽車，流綫型的汽車，
大卡車，公共汽車，
發了瘋般橫衝直撞的走，
塵煙騰起了一個個旋柱，
像是跳舞着的魔鬼！
至於老百姓，
失望而又焦急地
跑向城郊，

有些是推着手推車，
有些是背着包袱，
有些是提着箱子，
有些是拖着孩子，
一片沉默的面龐，
一片凌亂的脚步，
婦女們的粉臉上
突現出青筋，
男子們的額上
凝着痲斑般的汗！

太陽還是晒得高高的，
草還是搖着頭，
樹葉還是閃着光，

·34·

老鷹還是那麼盤旋，
蚱蜢還是那麼跳躍，
蝴蝶還是那麼飛，
蚯蚓還是那麼鑽，
螞蟻還是那麼爬，

然而人呢，
人却給法西斯侵略者
弄得那樣倉皇狼狽，
好像這樣寬廣的大地
都沒有了容納的空間。
有錢的，可以飛，
可是沒有錢的人
兩條腿能够走到什麼地方！

七 亂離

一到夜裏，
燈火是被熄滅了，
陰森森的風
在馬路上飄來蕩去，
樹葉打着寒噤，
只有巡査隊的脚步
敲響着馬路底脊樑。

桂林城是
全給悲哀淹沒了。

・36・

每一個屋簷下，
每一個窗子裏，
都在排演着悲劇：

「怎麼？錢呢？」
「錢都存在銀行裏！」
「拿不出來嗎？」
「都拿不出來，他們沒有現款！」
「那沒有錢，怎麼辦呢！」
「完啦，有什麼怎麼辦！」
「沒有弄到車票嗎？」
「沒有！人眞太多啦！」
「多出點錢好了！」

「有錢也搶不到位子呀，
車箱都給他們包了！」
「唉，你眞是糊塗蟲，
他們，誰是他們！……」
「唉，在這樣的亂世有什麼法子！」
「你滾罷！我自己會走！」
「好，你有本事，去另外找一個！」

「走罷，走罷！」
「沒有錢怎樣去走？」
「但我們不能在這裏等死！」
「走到那裏去呢！
沒有錢一步也難移動！」
男子直挺挺地倒在床上

·38·

而他的妻子，則伏在他的胸前哭泣！

是的，這是多麼陰森森的夜啊！
守了十多年的夫妻，
在這個夜裏丈夫忽然殘酷地，
伸出手對他的妻子說：
『這筆錢你拿去罷！
我們從此離婚，不要見面！』
是的，這是多麼狠毒的夜啊，
一個急於逃難的女兒，
忽然在私心裏咒詛他的母親早死：
『你既然這樣多病，累贅，
爲什麼不早點爬到棺材裏去休息！』
是的，這是多麼凄厲的夜啊！

病在床上的父親向圍着他的
兒女們揮着手：『你們走罷，
讓我留在這裏守在這裏，
怕什麼，反正是死啦！
讓敵人的狼狗把我咬死好了……』
是的，這是多麼無情的夜啊！
一個新婚的少婦，急忙地
卸下了新裝，準備着行李，
離開自己的丈夫，向不知名的
充滿着恐怖的山野逃去！
是的，這是多麼黑暗的夜啊！
讀書人得拋棄天才的書藉，
詩人得停止他的創作，
花和月亮完全被人遺忘，

歌唱被憂愁所殺死！
是的，在這樣一個夜裏，
只有小偷們會播弄着手指，
只有强盜的心坎裏，
會點起希望底燈光！
只有漢奸在暗地裏喝酒
加緊地釀製着陰謀詭計，
準備着傀儡底登場。

八　變幻

這是一個大時代，
不愧是一個大時代呀！

在這急轉的漩渦裏，
一切都在顚倒變幻！
百萬富翁在一個夜間失去了一切，
一個窮光蛋突然變成了暴發戶，
從前是官話連篇的，
現在忽然變得啞口無聲，
從前是沉默埋頭的，
現在忽變得激昂慷慨。
教書的去拉了黃包車，
而乞丐反而坐在車上，
市儈突然變成了『英雄』，
而英雄又突然變成了市儈。

前幾天都還是

・42・

滿面善良的，貧窮的文士，
而今天突然蹓斷了車箱，
於是站在列車旁邊，
橫着眉，揮着手鎗大聲唱着，
『這火車是我的，
沒有錢的請勿進來！』
前幾天都還是
自命不凡的女士，
唇邊掛着革命的言辭，
而今天却穿上了
華貴的服飾做了姨太太，
踏上了顯要們的小包車
揮着眼淚，
對於舊時的同伴

只好無言而去。

前幾天都還是
拍着胸膛誇耀着，
自己是如何協助了
別人，忘記了自己的
慷慨的人物，
而今天，最微小的麵包屑，
都藏在袋子裏，
不肯分一點給予別人！

前幾天都還是
面孔尊嚴，
連說一句話，
連舉一隻手，
都要考慮的紳士，

·44·

而現在竟出賣了朋友
把現狀捲逃，
失去了蹤跡！
眞像是在水面上
一條吃飽了的魚，
搖一搖尾巴
就潛沉在淵底。
前幾天都還是
那麼一副忠實面孔，
指手劃脚地
罵人沒有信義的人，
一到第二天，
他弄到了辦法，
就又悄悄地

瞞着朋友溜走。

唉，戰爭，可怕的戰爭，
牠無情地
剝奪了許多人的
虛僞的外衣，
赤裸裸的露出了原形！
唉，眞難呢，那裏去找一個患難的朋友！

九 祖國的兒女們

可是革命的煉火
同樣的也鍛煉出英雄，

·46·

挺起了胸膛，
舉起手
當成了旗幟。

「迎上前去罷」，
他們吶喊着，
他們擎起了國旗，
把戰鬥的歌，
重新帶回到
晴朗的太陽底下。
整齊的隊伍
出現在街上，
大出喪的
低愁的曲子，

被放逐到遠方。
於是在戲院裏，
在會堂，在街上，
廣播着宏亮的聲音：
「同胞們，
不要怕，
怕什麼?!——
如果我們
敢同敵人戰鬥。
我們不是卑怯的懦夫，
讓我們站住罷，
不要走！

・48・

逃！我要問你們
能够逃到什麼地方去！
沒有錢，
你能够逃嗎？
沒有錢，
你逃了以後
又能够活嗎？
唔，逃難！
我們逃得够啦！
從上海逃到南京，
從南京逃到漢口長沙，
從長沙逃到衡陽，桂林，
唔，現在還要逃！
我要問你們

能够逃到什麽地方去！
請你們看看地圖
大後方還有多少地方！
請你們閉着眼睛想想，
大後方有什麽東西會迎接我們！
與其到後方去
凍死，餓死，病死，
那就不如留在這裏戰死！
讓那些有錢有勢的老爺們去逃，
讓那些花花綠綠的姑娘們去逃，
讓那些卑怯的懦夫們去逃，
勇敢的祖國兒女們，
讓我們站住罷！
你看那一個個山，

•50•

是多麼勇敢地站着！
你看那些婆娑樹木，
是多麼慘戚戚地低頭！
你看那些牛羊是多麼依依動人！
你看那曲折的河
是多麼值人留戀！
你們能够丟開牠們嗎？
不，不要走！
敵人如果打過來，
我們就向敵人所自來的地方
打過去！
我們不是花朵，
我們是堅硬的樹木
從土地裏生長出來，

也要在這土地裏死去！」

這宏亮的聲音，
吹散了
佈overall在空氣裏的恐怖，
這宏亮的聲音
正是一個莊嚴的宣誓，
打擊了謠言
恢復了自己的信心。
這宏亮的聲音
像是一支光芒的旗幟
插在高山的山頂，
又像是號角
在向四方召喚……

•52•

然而那些卑怯的懦夫們，
怕的不是敵人，
而是人民，
他們所懼怕的，
不是前綫而是後方，
他們所關心的，
不是勝利，而是「秩序」，
所愛的是卑怯，
所恨的是英雄，
於是他們用毒蛇，蜈蚣
蝎蜥，蟾蜍，蜘蛛，臭蟲，蚊蚋，
口裏煉出來的毒汁，
拿來噴到這些人的頭上。
他們從外面去威脅，

又從內面去分化，
於是這些人被迫着，
又不能不離棄崗位
一個個挾着火種逃亡！

桂林的命運於是被決定了。
幾千萬人擠擁成
逃難的行列，
這是最大規模的出喪啲，
千萬人帶着無聲的眼淚
唱着大桂林的葬曲。

十 墓地似的街上

•54•

人都疏散完了，
每間店都關着門
像是黑色的墓碑。
一眼望過去，
兩旁的樹木，
交互擁抱着，
像是不忍離別的情人。
而在街上陰沉沉的綠蔭底下，
冷冷靜靜的，
只有兩三個
盲目的乞丐，
用破竹杖敲着
被千萬雙脚
所遺棄了的，

可憐的泥土！

沒有聲音，
連耳語都聽不見，
車輪兒
輪到那裏去了呢？
那些美妙的歌喉，
那些滑稽的鼓吹手，
那些胡琴聲音，
到那裏去了呢？
啊，牠們
早已隨着主人，
飛到了後方，
替另一個無憂的城市，

裝飾着太平！

我彷彿看見了
一條給大水冲過了的
乾涸的河床，
這兒剩下的
只是殘渣和瓦礫。
一隻耗子，拱着尾巴
不慌不忙地走過了街，
——是牠才是主人，
啃食着桂林市的殘骸。

十一　灕江的夕暮

太陽欲去不去的
停留在山腰，
夕陽流着血！
有些小山
在暮靄裏
低頭哭訴：
爲什麽這些孩子們
把牠們拋棄——
這樣無情！
只有那巨大的茅山，
悲憤地鼓着氣，
挺立在灘江的那一邊
好像在宣言，
我是不走的

怕什麼呢？
你瞧我！
經歷過多少
歷史上的巨刼
還依然健在！

灕水有氣無力地流，
早已失去了，
青山送給牠的
碧綠的顏色。
黑黝黝地蒙着一種憂愁。
一向在牠懷抱裏的船，
也早都已遠離，
牠好像是一個

被孩子們
丟棄了的老寡婦，
在喃喃自語，
爲懷念着舊夢而傷心。

中正橋，
沒有一個人影，
牠的腹底下
已被人安置了炸藥，
牠是不是也知道
只要命令一到，
牠就要粉骨碎身？
幾千百人的勞動，
結成的功績，

只一轉眼間，
就要被毫不吝惜地
炸作烟灰！

啊，你瞧！
那些黃澄澄的
含着穀粒的稻子，
那些披滿了綠草
的原野，
那些在綠葉
懷抱裏的
纍纍的柑橙，
肥碩的柚子，
那些一堆堆的村舍，

那些在夕陽低下
參差玲瓏的樓閣。
唉，你這樣肥美的土地，
你這忍受了多少飢餓，
流了多少苦汗
才培育出來的果實。
你也知道不知道，
不久要被換上
一個征服者的主人，
不久，象鼻山要插上
一枝太陽旗，
向我們的山川嘲笑？

灕江的對岸

・62・

草還是青青，
砦洲上面，
淡黃的霧
漸漸變作紫灰，
穿山那裏有一粒小燈，
一明又一滅，
像是垂死人的眼睛，
開一下又閉，
閉了一下又開，
但人都走完了，
誰也不會來給
這些寂寞的山河
以一點慰安！

十二 寂寞的月亮

月亮照在湖邊，
湖邊沒有人行；
月亮照在林中，
林中沒有人耳語；
月亮照在洋台上，
月亮照在屋簷下，
月亮照在窗子裏，
月亮照在竹籬邊，
月亮闖入到空屋裏，
悽楚而又徬徨地

摸着冷漠
而又死寂的
古壁上的塵埃。
啊，人呢？
——人都逃離在四方。
於是月亮也感到寂寞起來
躲在牆根下，無聲地哭泣！

人聲早就沒有了，還不到夜半。
青蛙在湖上放肆地鼓噪起來，
小蟲在草畔盡情地悲泣起來，
野貓在屋頂上呼喚起來，
耗子在牆角頭尖叫起來，
柚子花的香氣在慘白的

空氣裏，無目的地散步，
牠不知道牠究是爲誰而香！

那些在林中散步的人，
那些在洋台上閑眺的人，
那些在屋簷下娓娓談話的人
那些在窗子裏敘着家常的人，
那些在竹籬邊悄悄情語的人，
現在都塞進那一個車箱的角落？
躲在那一家的屋簷下？
睡在那一個地方的草窩裏？
聽着野獸們的貪婪的呼嘯！
他們一定會在模糊的夢中
看見這透明的月色罷？

•66•

他們也會記起
　這些柳蔭，
　這些洋台，
　這些屋簷，
　這些窗子，
　這些竹籬，
　想起了離散了的父母，
　妻兒，兄弟，朋友，
而在遙遠的不知名的地方
流着凄涼的眼淚罷！

啊，月亮，你用不着
在這荒涼的舊城尋覓，
你應該到山間，草地，

洞穴、岩邊，
荒涼的村落，
孤寒的野店裏，
去照見你的故人！

十三 環湖路

環湖路，
沒有了
淡紅色的燈光，
失了血的月色，
拖着長長的樹影，
睡在

•68•

給風吹涼了的階上。
環湖路，
沒有了
舞裙的搖曳，
蕩婦們的笑語，
小蚱蜢
跳躍在草地上，
樹葉
顫着慘白的口唇，
背誦着，
過去聽來的
情語。

環湖路，
夜霧
像白色的壽衣，
包裹着
巍巍的邸第，
還有
那頎長的女郎，
也不知在什麼地方，
已倚靠着
別人的手臂。

啊，樹蔭下，
緊閉着的
黑魆魆的窗，

那是埋着愛情
的墳墓！
即使我用手
去叩牠一下，
我知道，
也不會
再有人嚶然地，
應我一聲……

十四 號外

『號外呀！號外呀！』
報童在揚着報紙瘋狂地叫喊，
『衡陽克復

反攻長沙，』
路口上貼着大紅字的標語。
爆仗燒起來，
人們從暗夜中爬起，
人們擁聚在街頭，
大家交互着愉快的微笑，
有人在傳說：勝利將軍又要來
第四次的奇跡！

於是桂林又復活了，
不知道從什麼地方走出了這樣多人，
十字路口閃着輝煌的燈光，
往來着幢幢的人影，
爆仗在空氣中跳蕩，

·72·

硝煙刺激着眼珠使人流淚。

那些關閉着的店門，
馬上又開了張，
商人們的心也好像爆仗般
快樂得快要爆炸開來。
人們在相信：
今後的天下不僅是太平幸福，
而且還要活得格外稱心。
玲瓏的跳舞廳在加緊髹漆，
環湖路的草地，加上了
醉人的華貴的宮燈。

「號外呀，號外呀，」

報童在揚着報紙瘋狂地叫喊
「衡陽克復，
反攻長沙，
我軍不久就要合圍！」

眞的好像
奇跡就要出現在眼前，
幸福會從天下降，
爲勝利而陶醉的人們，
笑歪了比蝦蟆還要闊的嘴唇！

十五 重逢

於是衙署的門重新大開，

•74•

久違了的衞士，
又英武地站上了哨崗，
長官們不知從什麼地方
又悄悄地跑了回來，
而且嚇然震怒，
聲明『守土有責』，
要爲百姓的生命關心。
於是發了許多命令，
要那些奉令撤退的
立即搬回！
是的，至少也要擺出一副
整齊的陣容
來等候勝利的消息啊！

那些逃亡在鄉野的，
那些流落在山地裏的，
那些困頓在風沙裏的，
都又陸續地乘車，坐船
牽男帶女的回來，
含着悲哀而又愉快的眼淚回來。
他們欣幸地看見這幸福之城，
還是安穩地睡在綠絨般的草地上。
他們的舊居，窗戶，
還是安詳地含着陽光。
他們父親看見孩子，
丈夫抱吻着老婆，
互相哭訴着，
逃難途中的災難，

・76・

別離後的酸辛。
於是他們發誓：
今後永遠不再逃難，
永遠不再別離，
永遠不要看見戰爭。
桂林城要永遠成爲幸福之城。

有一位妻子，
帶着三個孩子出去，
只帶着一個活的孩子回來，
一看見丈夫就倒在他的懷裏痛哭，
她說：即使以後桂林要變成墳墓，
他們也要死在一起！

十六 照舊又是太平

眞的不錯
桂林是無憂之城！
天下照舊又是太平了。
一切都是原封一樣：
幸福的還是幸福，
跳舞的還是跳舞，
賭博的還是賭博，
投機的還是投闢，
冒險的還是冒險，
貪污的還是貪污，

喇叭還是照舊吹，
短笛還是照舊奏，
那死了的就是死了，
那受苦難的也是活該。
不快樂的人才是笨豬呢！
每天早上是大捷，
每個晚上是驊外，
每個人的面孔都興奮得發紅，
每一個捷音釀造着一個新夢，
快活的有錢人，
用號外來下着酒！
讓爆仗燒罷，
他彈去了桂林的憂鬱；
讓牠去召喚，

召喚那些逃難的
快點回來！

十七 背叛

將軍困守在衡陽
等候救兵；
而救兵卻滯留在外圍，
進了一步又退回一步，
守望着日寇的旌旗。
士兵們在衡陽街上流着血，
可是桂林城還在呼着『號外』
安享着太平。

將軍發出了最後的遺囑，
他堅決地說；
『願爲國而死，
決不偷生！』
可是發完了電報以後，
他就舉起雙手投降，
在總部面前掛起了白旗。
將軍殺人是勇敢的，
但當手鎗指在自己的胸前，
他的手又爲什麼發抖啊！

將軍低頭做了俘虜，
將軍一下子就失去了威嚴，

將軍無意於爲祖國而死，
於是就被放在廣播器面前，
廣播出背叛祖國的宣言！

這時候，桂林的號外
才漸漸停息，
而又代替以耳語和謠言了。
謠言誰去相信呢！
但謠言誰又敢不相信呢!?
於是又有人漸漸担心。

十八 潰散

『不要怕，敵人不會來的，

敵人會西進；』
『不要怕，敵人不會來的，
敵人會南下；』
『不要怕，敵人卽使會來
黃沙河守着有我們的勁旅，
——那是飢虎之群。』
政論家作着這樣的分析。

不過那飢虎之群
的確是一支勁旅呀，
牠遠遠地從西方的高原調來，
牠一路掃蕩着牛羊鷄鴨走來，
勇敢地毆打着員工路警走來，
脚踏着人民的稻穀走來，

檢拾着百姓們袋子裏的
最後的鈔票走來，
士兵們雖然食不飽，
但一副骨頭架子還是十分堅挺，
而且訓練得法
射擊和劈刺都十分有名。

呃，正是這支勁旅守着
幸福之城的大門！

可是不會來的敵人
竟然來了！
機鎗大砲響了一個徹夜，
火燄吞沒了星星，

黃沙河成爲了有名的戰場。

記者先生還準備

爲這個偉大的戰場寫下記錄，

並且在這個史跡上貼上自己的大名。

但是第二天早晨，

當赤紅的太陽出現在江邊，

我們的勁旅可突然不見了，

在江邊只剩下零零落落的尸體，

和搬不動的大砲和子彈！——

連敵人也有點驚奇：

我們用的是什麼神出鬼沒的奇兵！

十九　夜奔

「黃沙河丟了啦！」
半夜裏
有人在街上大聲喊着，
接着就是雜沓的步履
向四下驚奔。
有人在大聲呼喚着，
有人在大聲驚叫着，
幾千隻樓梯響成
轟轟轟的聲音
的的踏，的的踏，的的踏，
那是幾萬雙脚在那裏急走。
景靈拱隆景靈拱隆，

千萬隻箱子在碰撞！
那是敵人的機槍聲嗎？
那是敵人的車輪聲嗎？
那是敵人的馬蹄聲嗎？
快喲，快喲，快喲，
來不及打疊行李，
在黑夜裏，
大家摸索着亂走。
沒有燈，
沒有月亮，
沒有星，
眞是瞎了眼睛的夜啊！
有人跌倒在樓梯旁邊，
有人絆倒在馬路上，

有人哭哭啼啼，
一路丟棄着
過多的行李。
母親失去了孩子，
丈夫失去了妻兒……
好像敵人就緊追在後面！

格格格……格格格……
突然一陣機槍響聲，
啪啦，又是一管冷槍，
有人說：
『也許是敵人的傘兵來喲。』
於是大家跑得更快
更忙亂，

像失了魂似的慌張；
在黑夜裏，
誰也辨不出方向，
只跟着黑影亂奔……

唉，黃沙河，黃沙河，
你爲什麽不變作
一條大大的繩索，
絆住敵人的腿喲！

二十　火車

唉，那是火車站嗎？

那是由千人萬人
積成的蠕動着的人堆呀！
幾十萬人哪，
就靠這麼小小一條鐵軌輸送。

列車爬在地上不動；
每個車窗裏都緊塞着
快要溢出來的人。
馬桶和人頭被堆叠在一起。
車頂上，車肚下，
車箱和車箱的間隙，
也全都是人呀！
兩隻手，兩隻脚的人呀。
兩隻眼睛，一個頭顱的人呀！

·90·

車上的人哭着喊着罵着，
有些人剛要爬上去，
就掉了下來，
有些人爬了上去，
又給人推了下來，
有些父親母親都爬了上去，
可是孩子還在頓着脚
留在地下哭喊！

坐不到車的人
在車旁邊巡來巡去，
他們恨火車爲什麼
不是橡皮，
可以多塞幾個！

他們又恨自己
爲什麼不是蒼蠅螞蟻，
可以塞進最微小的間隙，
有些人痴望着，
眼睛像石頭似的
沒有了光彩。
幾千個面孔
結合成烏黑的愁雲。
有些人奔跑衝撞，
作着無目的底追求，
就是看見最熟的朋友
也忘記了理睬！

站長室裏

有些人惡狠狠
用手槍對準他的胸膛說，
「趕快調車來，趕快！」
可是又有人眉來眼去，
偷偷地把鈔票，
塞進他的袋裏。

火車還是沒有開，
車皮上，
反射着焦灼的陽光，
汗變成了膠汁，
熱氣吹成了風。
堆在車站上的人
一個個都變成了熱鍋裏的螞蟻，

一個個都變成了
發着腥臭的動物。

火車還是沒有開，
司機伸出手來說：
『我們太苦了，
沒有錢，我們不開！』
搖旗的伸出手來說：
『他們有了錢
我們沒有，我們不開，』
撥軌的伸出手來說：
『拿錢來罷，
我們沒有，你就休想開走！』

沒有手槍，
而又沒有錢的人，
那就只好永遠堆在站上，
像貨物般發朽腐爛，
一直給人們的脚踏成肉泥！

火車開啦，
綠旗子搖過了，
火車開啦，
軌道撥好了，
火車開啦，
輪子轉動了，
有人從車頂上

一失足，
哇的一聲跌倒下來，
有人從輪軸旁邊，
坐不牢，
哇的一聲跌倒下來。
他們都是人呢，
可是却像蒼蠅般微賤地死亡！
火車移動了，
車輪在這些人的
腿肚上輾了過去，
車輪在這些人的
血跡上輾了過去，
老太婆爬不上車，
在那裏跌足號啕，

•93•

孩子們爬不上車
在一面哭喊，
一面追趕，
車上女人掩着面哭泣，
男人在揩拭着
無可奈何的苦淚，

轟隆，轟隆，轟隆，
火車無情地馳走，
車站上的人，
呼號擾攘着
焦急而又惶恐地，
等着下一班車的命運

廿一 這好像是世界底末日

轟！轟！轟！……

轟隆！轟隆！轟隆！……

啊，火！

啊火！

啊，這裏是火！

啊，那裏是火！

啊，這裏是烟！

啊，那裏是烟！

幾十百個烟柱突起，

幾十百個烟柱衝入天空！

轟！轟！轟！
轟隆！轟隆！轟隆！
炸毀飛機場呀！
炸毀中正橋呀！
炸毀東鎮路呀！……
啊牆壁在震顫，
地皮在爆裂！
啊，到處都是火，
啊，滿天滿地都是烟，
沙塵塞滿了空中！
樹葉乾枯了，
高樓倒塌了，
耗子到處亂竄
狗在狂奔，

河魚在急跳。
轟，轟，轟，轟！
轟隆隆，轟隆隆，轟隆隆！
這裏是火！
那裏是火！
到處都是火！
啊，桂林的火，
把桂林都燒紅啦，
桂林的烟
把雲都燻黑啦，
烟球在大街上
打着盤旋，
窗子裏
吐出了火舌。

唉，這是多麼恐怖的日子喲！
他們炸喲，燒喲！

火在廣場上
放肆地
作着旋舞呀！
一切壞的，
好的，
沒用的，
珍貴的，
都在一齊毀滅了。
那些平時驕縱的人，
現在也好像早已完全死滅了！
——唉，這眞好像是世界的末日，

廿二　難民交響曲

難民，
被堆積在車上，
睡覺的，
發着惡夢，
話譫聲，
間雜着
悲慘的，
流浪的歌聲。
窗子外，

·102·

樹葉
已凋零，
車子裏，
悶熱得
吐不出氣，
一個山
又一個山，
好像是強人
要攔刼
客人。

大家都十分疲倦
又十分飢餓

大學教授，
手抓着
混和着泥沙的
冷飯，
像飢餓的鵝
貪婪地
吞食，
睜着大眼。

小姐
對着鏡子，
因看見自己的
蒼老的
容顏而吃驚，

用手指
揩着額上的
縐紋，
而又輕微地
悲歎。

文縐縐的
紳士，
用手掩着
撕破了的衣襟，
幾次拿出錢來，
都搶不到
小販手裏的
食品！

總算是，
把災禍
遺留在後面了，
那不幸之城！
大家都這樣想：
生命是獲救了，
至於將來，
那誰去想喲！
如果會餓死，
那也只好
算是命！
逃出來了，
總勝過留在後面。

天漸漸黑了，
夜色茫茫，
冷冷的星，
點綴在
天上。
人們都舒了口氣，
回頭望望桂林，
正是一片
淡淡的紅光。

『桂林在燒喲！』
一個人驚歎着，
全車的人

都忽然被提醒，
想起了
那些親戚，朋友，
那些沒有走出的，
那些病死的，
那些輾死的，
那些被父母
遺棄在站上的
不知存亡的孩子，
有人在嗚咽，
也有人在暗中
流淚！
唉，這一次慘刼，
死的人

眞是
說也說不盡，
算也算不完！

廿三　沒有兵嗎？

敵人從桂林梧州，
一步步迫緊來了，
坐鎮在南方的將軍，
大聲喊着：「沒有兵，沒有兵！」
急電打上去，
急電又打回來說，
『上頭調不出兵！』

沒有兵就得撤退啦！
於是日本人
像是一羣狼羣，
毫沒遮攔地
衝進了老百姓的
住宅，田園。

但是，眞的沒有兵嗎？
好多好多兵
還屯在渭河的平原啊！
他們閑着在捉蝨子呢，
他們閑着在挖耳朶呢，
他們閑着在草地上晒太陽呢，
他們在豎起紅旗

做他們的練習的靶子呢，
他們打賭着
什麼時候可以向延安進軍呢，
軍官們擎起了酒杯，
漲紅着肥短的脖子瘋狂地喊：
爲預祝北征的勝利而乾杯呢！
馬都肥得快要爆炸開來啦，
大砲都已快要生銹啦，
可是他們蝗虫般
把渭河平原的穀子吃光，
他們却不肯移動。
西南的烽火，
儘管把地都燒紅，
石頭都燒枯，

儘管一個城市
又一個城市失陷，
儘管一個村莊
又一個村莊被焚毀，
幾千百萬人被殺死，被侮辱，
儘管鮮紅的血滴在石頭上，
變成了紫色，
再變成黑色，
再變成塵砂，
可是他們却斂着手，
眼睛翻向着天
露出冷漠的表情，
好像這地方
不是我們的國土。

這是誰養的兵？
老百姓出了錢
是爲了保護誰的？
養了兵是幹什麼的？
是誰？我要問是誰，
對我們老百姓
犯了這樣大的罪惡！

廿四　逃難，逃到什麼地方？

從柳州到宜山，
到金城江到六甲，
到河池到南丹，

難民們像是一羣羊

後面緊迫着追兵！

走呀，走呀，走呀，

沒有時間喘息，

沒有時間回想，

沒有時間流淚，

脚都跑腫啦

背東西的肩上流着血，

露出了骨，

唉，眞是走不完的路喲！

山層疊着山，

左一彎右一彎的路，

一起一伏的山坡，

尖牙利齒的石，

啊，逃難，逃到什麼地方去呢？
後面的追兵一天一天近，
前面又說已緊急疏散。
不要走了罷！
難道我們眞的要逃上貴陽，
逃上重慶，逃上成都，逃上西康，
向大雪山去哭訴我們的
流亡的痛苦？

啊滿天滿地都是雪呀，
那是北方的雪呀！
南方人沒有見過的雪呀！
雪飄在冰凌凌的河床上，
沒有聲音，

雪飄在濕漉漉的泥土上，
沒有聲音，
雪飄在山頂上，
沒有聲音，
千千萬萬的難民
無聲無息地倒下，
來不及留下一句遺言，
啊，讓死去的都變成泥土罷，
變成悲哀的泥土，
憤怒的泥土，
復仇的泥土啊！

悲愁的天低沉沉地，
壓在狹隘的幽谷上，

難民，拖着幾里長的行列，
天色晚了，那裏去找宿地呢？
唉，這苦難的一群，
究竟還能不能算是祖國的孩子！

廿五　夜宿

夜把一切都封鎖起來了。
大家停下來，
瑟縮地聚在一起，
一個個俯瞰下來的山岩，
像是要食人的魔鬼。

一堆堆野火
在半山焚燒起來，
唉，那是多麼紅啊！
遠遠地看起來
眞像是才從什麼人口中
吐出來的一口鮮血！

許多人把凍腫了的
脚和手伸近那火堆，
面對面的，
默默地，
沒有哭泣，
沒有歎息，
沒有話說，

•118•

一切的
悲哀，
仇恨，
憤慨，
都被深深地藏在這沉默裏面。
是的，當一個人最悲憤的時候
是不說話的喲！

但心裏面，大家都在想起，
今天早上的事：
一個老者
乘着夜裏
把自己吊在樹上，
而在胸前則

親筆寫着幾個大字：
「蔣介石萬歲！」
「啊，蔣介石萬歲！」
那是多麼大的諷刺！

廿六　追兵

天才剛亮，
當烏鴉正啞着喉嚨哭的時候，
脚步聲已從後而趕來了，
夜一般黑的臉孔上
又充滿着驚惶，
脚步是短促而又緊張。

「喂後面敵人的騎兵趕來啦！
只還有二十華里！」

「那怎麼辦哪！」
大家都沉吟着，
睡着的被拉了起來，
但又倒了下去。

但是不一會，
開過去的汽車，
又開回來了，
走過去的人，
也退縮在山邊，
「敵人到了啦！

前面獨山完啦！……

正在燒得利害囉！』

『唉，那怎麼辦哪！

前面後面都是敵人……』

睡着的也自己爬了起來

他們向週圍閃着眼睛！

『你瞧，那裏來啦！』

有人手指着山後，

開始向山頂奔跑，

『啪啦啦，……』

一管鎗聲把山都

驚得咆哮！

逃呀，逃呀……
像是受了驚的鳥兒
人們就四散奔逃。
逃難的隊伍完全被衝散了，
有些人給馬刀殺死，
有些人背脊上
給子彈洞穿，
有些人跌倒以後，
就再也沒有爬起，
有些人踢了一個脚趾
就跌入到谷中，
有些人爬進到叢莽裏
被餓狼抓去，
有些人逃入深山

迷失了路途，
還有些人，從此以後
就再也沒有被人看見，
只存在在母親和妻子的夢中，
誰也說不出他後來的命運！

廿七 火星

可是在這同時，
那些散佈在敵人後方的
田野裏的人，
卻和茂密的森林般，
照舊植根在自己的泥土上——

•124•

他們沒有走，
他們捨不得生命所依存的土地！

天有時晴，有時雨，
但你可曾看見海
牠什麼時候會乾？
人民是永生的，
鐵鎚打在鐵板上
到處都飛迸着火星！

革命的種子被散開，
埋在稻田裏的步鎗
比土地還要沉默！
三三兩兩的人，

來往在偏僻的農村，
牛舍裏開着會。

打散了的騎兵
拿着手榴彈向鄉民乞食。
農兵們拿着米去買鎗，
三個兩個人變成三隊兩隊，
步鎗開始掛在肩上
這兒那兒，襲擊着敵人。
成立了人民的武裝。

他們像山一般
胆開着胸膛
讓溫暖的陽光給予慰撫，

他們因爲感到有力而驕傲，
他們不覺得憂愁。

牛背上的孩子
也張開口唱着戰鬥的歌：
『我就是墻上的荊棘，
在敵人走過時
也要狠狠地刺他一針……』

他們用粗糙的手
創造了新的天地，
可是，爲了要歌誦他們
我們得另寫一章。

廿八 悼念

大時代的一幕悲劇已經收場，
回想起過去的事情
誰也不能不深沉地悼念：
讓我們向那些
發出了最後的子彈以後，受傷致死的死者致敬；
讓我們向那些
在潰退中，始終站在戰鬥的崗位上的英雄致敬；
讓我們向那些
被敵人俘虜以後，因不願投降而犧牲的死者致敬；
讓我們向那些

受了致命的重傷，而最後跌倒在路上的死者致敬；
讓我們向那些
被敵人圍困在山中逃不出來而餓死的死者致敬；
讓我們向那些
因愛國思想而被敵人慘殺的青年致敬；
讓我們向那些
爲了守護自己的家鄉，而被敵人的狼狗咬斃的死者致敬；
讓我們向那些
把自己的腦漿塗在祖國的原野上的死者致敬；
讓我們向那些
把自己的血染紅了祖國的河流的死者致敬；
讓我們向那些
臨死的時候還高呼着復仇的死者致敬；
讓我們向那些

以自己的手鎗擊碎自己的腦殼的人們致敬；
讓我們向那些
在倉皇撤退中，萬千的無辜的死者致敬，
讓我們向那些
跌死在溝渠裏，被人摘去了心肝的死者致敬。
中華民族是永生的，
我們要永遠紀念他們，
並緊緊地記着：他們是爲什麼而死，
是誰殺死他們，
和誰令他們被人殺死！

廿九　咒詛

是誰使他們被人殺死的啊！

對那些平時只會敲剝百姓出賣民族的『偉人』們我們是永遠記得的，

對那些看着敵人進來貪生怕死的將軍們，我們是永遠記得的，

對那些剝削士兵，吞食空額的官佐們，我們是永遠記得的，

對那些打家刼舍在敵人面前只會逃跑的懦漢們，我們是永遠記得的，

對那些貪污腐化遇事倉皇的『官僚』們，我們是永遠記得的，

對那些敲詐人民，敲骨吸髓的酷吏們，我們是永遠記得的，

對那些屯積居奇壟斷市場的富豪們，我們是永遠記得的，

對那些豪奢，無賴的寄生生活的人們，他們是永遠記得的，

讓我們都記錄在賬上罷

總有一天，我們要和他們全盤清算啊！

一九四六年，三月一日脫稿於廣州

勘誤表

文別	面	行	誤	正
正文	3	2	投機家的夢，	投機家的夢
	20	6	謠言呢！誰去相信！	謠言呢，誰去相信！
	39	12	……書藉，	……書籍，
	42	4	……大聲唱着，	……大聲喝着，
	52	11	蟾蜍	蟾蜍
	53	10	千萬人帶着無聲的眼淚	千萬人帶着眼淚無聲的
	57	13	好像在宣言，	好像在宣言：
	84	9	……大砲和子彈！——	……大砲和子彈。
	85	9	轟轟轟的聲音	轟轟轟的聲音，
	89	13	兩隻脚的人呀。	兩隻脚的人呀，

頁	行	誤	正
96	13	……命運	……命運。
98	6	啊牆壁在震顫，	啊，牆壁在震顫，
	13	耗子到處亂竄	耗子到處亂竄，
102	12	大家都十分疲倦	大家都十分疲倦，
	13	又十分飢餓	又十分飢餓，
106	12	一個人驚歎着，	一個人驚歎着。
118	11	一個老者	一個老者，
121	7	他們向周圍閃着眼睛！	他們向周圍閃着眼睛。
125	9	……襲擊着敵人。	……襲擊着敵人，
	12	他們像山一般	他們像山一般，
	13	胆開着胸膛	袒開着胸膛

本書作者其他最近譯著：

西班牙譯詩選
沙多霞（俄詩選譯）
美麗的黑海（散文集）
論詩（論文集）
抒情小品（散文集）
暗影（小說集）
民主運動講話（論文集）
我從監獄中出來（即出）
再見（即出）
論約瑟夫的外套（即出）

桂林底撤退

著者：黃藥眠

出版者：群力書店

經售者：各大書店

定價：一元八角

民國三十六年十月出版